Rouler à vélo

LISA KOPPER
ET
CHRISTEL DELCOIGNE

Éditions Gamma — Éditions Héritage

Je m'appelle Céline.
C'est mon anniversaire aujourd'hui :
j'ai six ans. J'ai reçu une bicyclette.
Je vais apprendre à rouler dans le parc.
Papa dit que c'est un bon endroit
parce qu'il n'y a pas de route tout près.

Quelques-uns de mes amis roulent déjà à vélo.
Ils en ont de la chance! Philippe est plus grand
que moi. Je ne vais pas m'approcher.
Il pourrait me faire tomber. Daniel n'a pas son vélo.
Il m'aidera peut-être...

Et si j'essayais toute seule?

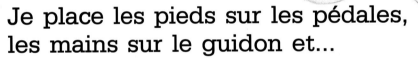

Je place les pieds sur les pédales,
les mains sur le guidon et...

Patatras!

Je savais que ce n'était pas facile.
Maintenant, j'ai l'air malin! Tout le monde
me regarde. Pourtant, je veux y arriver.

Peut-être que si je le demande à mes amis,
ils m'aideront. «Voulez-vous m'aider?»

Tout le monde veut m'aider. Annie et Luc me
tiennent. Philippe pousse. Il me dit de pédaler
avec les pieds et de regarder devant moi.
Ça va vite, et je n'aime pas ça.

Soudain, j'entends Papa qui crie «Stop!».
Je voudrais bien pouvoir m'arrêter.

Je ne veux pas leur montrer que j'ai peur,
alors je dis: «Ça va maintenant.
Vous pouvez me lâcher.» Ils me laissent
me débrouiller seule et, pendant un instant,
tout va très bien. Je roule à vélo!

Mais, tout à coup, je me mets
à zigzaguer... Au secours !

C'est trop injuste.
C'est trop difficile.

Je n'y arrive pas. Jamais
je ne saurai rouler à vélo.

De toute façon, je ne veux pas de cette stupide bicyclette.

Voici le genre de vélo qui me convient.
Papa dit toujours qu'il faut partager
ses jouets. Sylvie peut rouler sur mon vélo
si elle veut ! Je ne l'en empêche pas.

D'accord, je sais bien que ce n'est pas
mon vélo. Mais je fais juste un petit tour.
Sylvie peut le récupérer maintenant.
« Pardon. »

Luc propose de me prêter son vélo.
Il est équipé de stabilisateurs. Grâce à eux,
le vélo ne peut pas se renverser. Sylvie dit que
ce sont des roues de bébé, mais
c'est vraiment chouette.

Que c'est amusant! Je ne tombe pas avec ce vélo. Je peux démarrer et m'arrêter, rouler vite ou lentement. Hélas, ce n'est pas mon vélo!

«Papa, veux-tu m'aider à rouler à vélo?»
Papa dit qu'il ne me lâchera pas. Il tient
la selle de ma bicyclette, et nous voilà partis.

Papa me tient toujours. Puis
il demande: «Je te lâche?» «Oui.»

Mon vélo zigzague,
mais je roule un petit bout
toute seule. Chaque fois,
je m'améliore un peu.
Je pense que je vais y arriver.
Papa le pense aussi.

Je peux m'arrêter
et redémarrer quand je veux.
J'y suis presque.

Je ne pensais pas que j'y arriverais,
mais cette fois, ça y est!
Je sais rouler à vélo!

1. Où va Céline sur
   son vélo?

2. À quoi ressemble le vélo d'Annie?

3. Comment Philippe
   aide-t-il Céline?